El niño que no sabía escribir

Juan Ignacio Luca de Tena, 15. 28027 Madrid
www.anayainfantilyjuvenil.com
e-mail: anayainfantilyjuvenil@anaya.es

1.ª edición, octubre 2002
2.ª edición, febrero 2007
3.ª edición, octubre 2008
4.ª edición, agosto 2014
5.ª edición, julio 2016

ISBN: 978-84-667-1714-4
Depósito legal: BI-3170-2008

Impreso en España - Printed in Spain

Ivar da Coll

El niño que no sabía escribir

ANAYA

Juan tiene un hermano mayor
que va todos los días a la escuela.

Cuando Diego, así se llama su
hermano, vuelve de la escuela, deja
la mochila y juega un rato con Juan.

Pero a Juan lo que más le gusta
es que su hermano se ponga a hacer
los deberes del colegio.

—¿Es que no tienes tareas que hacer? —pregunta.

—Sí, pero hoy solo tengo que escribir un cuento y luego lo hago enseguida, ahora podemos seguir jugando —contesta su hermano.

—No, prefiero que lo escribas ahora y así yo le hago un dibujo.

Juan va corriendo a su cuarto a por su caja de colores y a por un cuaderno grande que le regaló su tío Alberto para garabatear.

—Antes de hacer un dibujo para tu cuento voy a dibujar una cebra que se va a llamar Micaela y escribiré su nombre debajo —dice Juan, inquieto.

—Las cebras tienen rayas. Rayas negras y blancas. Primero voy a pintar las rayas...

—Pero cómo vas a pintar primero las rayas —dice Diego—. Primero tienes que dibujar al animal y después darle color.

En ese momento entra la mamá de Juan y Diego en el salón.

—¿Qué estáis haciendo?

—Voy a dibujar una cebra y a escribir su nombre.

Ana acaricia la cabeza de su hijo pequeño y sonríe a Diego.

—No me cabe la menor duda.

Al rato, Juan muestra orgulloso el dibujo de su cebra.

Debajo aparece escrito el nombre que había decidido ponerle.